D1061397

Adaptation française par Florence Seyvos

Titre de l'édition originale (2005): «Yuki ga Yandara», Gakken Co, Ltd.
Les droits pour la langue française furent négociés
au nom de Gakken Co Ltd. par Japan Foreign-Rights Centre
Loi numéro 49 956 du 16 juillet 1949 sur les publications
destinées à la jeunesse: septembre 2006
Dépôt légal: janvier 2007
Imprimé en France par Mame à Tours
ISBN 978-2-211-08599-1

Komako Sakaï

Jour de neige

l'école des loisirs
11, rue de Sèvres, Paris 6e

Quand je me suis réveillé,
ce matin, maman m'a dit :
« Tu n'es pas obligé
de te lever tout de suite ... »
J'ai demandé :
« Pourquoi ? »
« Il n'y a pas d'école,
aujourd'hui. »

« Cette nuit, il est tombé beaucoup de neige . .

… et le bus scolaire est resté bloqué. »

« De la neige ! »

J'ai sauté de mon lit pour vite, vite, m'habiller.
« Non », a dit maman. « Tant qu'il neige, il ne vaut mieux pas que tu sortes. Tu risquerais d'attraper un rhume. »

Mais pendant que maman
était dans la cuisine,
je suis sorti sur le balcon et,
à toute vitesse,
j'ai fait une boule de neige.

À midi, la neige tombait toujours
et à l'heure du goûter aussi.
Maman a décidé de ne pas aller faire les courses.
À la place, elle a joué aux cartes avec moi.

Papa était en voyage pour son travail.
Il devait revenir ce soir, mais son avion ne pouvait pas décoller.
Tant que la neige tomberait,
papa ne pourrait pas rentrer à la maison.

Maman est sortie sur le balcon,
alors je l'ai suivie.
Il faisait très, très froid, dehors,
mais tout était si calme.
Il n'y avait pas une seule voiture.
Il n'y avait absolument personne.
On n'entendait rien d'autre
que le silence de la neige qui tombait.

« Maman, on dirait qu'on est tout seuls sur Terre. »

Et la nuit est tombée.
Et j'ai mangé mon dîner.
Mais, pendant que je me brossais les dents,
tout à coup, j'ai vu… wouaouh !
qu'il ne neigeait plus ! !

« Maman, maman, s'il te plaît, laisse-moi aller dehors, s'il te plaît ! Il ne neige plus. »
« Mais c'est l'heure d'aller dormir... »
Maman m'a regardé, elle a souri et elle a dit :
« D'accord, pas trop longtemps. »

Maman et moi, nous avons fait beaucoup de belles empreintes dans la neige.

Et beaucoup de boules de neige.

Nous avons même fait des créatures de neige.

Mes mains sont devenues glacées et mon nez coulait.
« Oh mon Dieu, il faut vite rentrer », a dit maman.
« Nous jouerons encore demain. »

Demain ?
Demain…

Puisque la neige ne tombe plus, papa sera là aussi.